SHIRLEY WILLIS nació en Glasgow, Escocia. Ha trabajado como ilustradora, diseñadora y redactora, principalmente de libros para niños.

BETTY ROOT era la Directora del Centro de Lectura e Información sobre el Lenguaje de la Universidad de Reading, Inglaterra durante más de 20 años. Ha trabajado con numerosos libros para niños, incluyendo obras de ficción y literatura fuera de la novelística.

PETER LAFFERTY era maestro de ciencias de una secundaria. Desde 1985 se ha dedicado a escribir libros de ciencias y tecnología para niños y para la lectura en casa. Ha redactado y contribuido a varios diccionarios y enciclopedias científicos.

REDACTORA: KAREN BARKER SMITH
AYUDANTE DE REDACCIÓN: STEPHANIE COLE
ESPECIALISTA TÉCNICO: PETER LAFFERTY
ESPECIALISTA DEL LENGUAJE: BETTY ROOT

UN LIBRO DE SBC, CONCEBIDO, REDACTADO Y DISEÑADO POR THE SALARIYA BOOK COMPANY, 25, MARLBOROUGH PLACE, BRIGHTON, EAST SUSSEX BN1 1UB, REINO UNIDO.

PRIMERA EDICIÓN ESTADOUNIDENSE 1999, FRANKLIN WATTS
GROLIER PUBLISHING CO., INC., 90 SHERMAN TURNPIKE, DANBURY CT 06816

ISBN 0-531-11847-9 (LIB. BDG.)
ISBN 0-531-15997-3 (PBK.)

VISITE A FRANKLIN WATTS EN EL INTERNET A:
HTTP://PUBLISHING.GROLIER.COM

La documentación de catálogo que corresponde a este título se puede obtener de la Biblioteca del Congreso de los EE.UU.

IMPRESO EN ITALIA.

LOS ESTUPENDOS

ÍNDICE GENERAL

Dondequiera que veas este símbolo, pídele a un adulto que te ayude.

LOS ESTUPENDOS

DIME POR QUÉ CAMBIA DE FORMA LA LUNA

Escrito e ilustrado por

SHIRLEY WILLIS

FRANKLIN WATTS

A Division of Grolier Publishing
NEW YORK • LONDON • HONG KONG • SYDNEY
DANBURY, CONNECTICUT

¿QUÉ TAN LEJOS ESTÁ LA LUNA?

La Luna es nuestro vecino más cercano en el espacio pero está muy lejos de la Tierra.

¡LA LUNA ESTÁ A 239,000 MILLAS DE LA TIERRA!

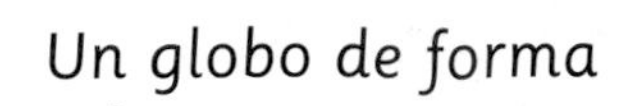

HAZ UN COHETE DE UN GLOBO

Un cohete tarda tres días y tres noches para llegar a la Luna.

Necesitarás: Un globo de forma larga
Una pajita
Hilo delgado
Cinta adhesiva
Tijeras

1. Pídele a un adulto que te ayude a cortar la pajita en dos partes iguales.
2. Pasa el hilo por un pedazo de la pajita. Ata una extremidad a algo que esté en un lugar alto, y deja que la otra extremidad llegue al suelo.
3. Infla el globo y tenlo para que no escape el aire.
4. Pídele a un amigo que pegue un lado del globo a la pajita mientras que todavía tienes la extremidad del globo en la mano.
5. Jala el hilo para que esté bien ajustado.
6. Suelta el globo. ¡Se despega!

¡UUUFFF!

¿QUÉ TAN GRANDE ES LA LUNA?

La Luna mide 6,786 millas en su parte más ancha. Es mucho más pequeña que la Tierra.

¡LA PELOTA GRANDE ES COMO LA TIERRA!

¡LA PELOTA PEQUEÑA ES COMO LA LUNA!

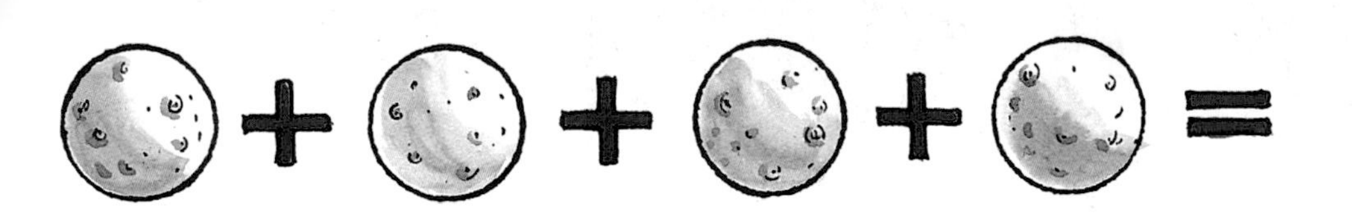

La Tierra mide
24,855 millas
en su parte más
ancha. Es cuatro
veces el tamaño
de la Luna.

¿CUÁNTOS AÑOS TIENE LA LUNA?

La Luna tiene 4.6 millón de millones de años. Tiene tantos años como la Tierra.

La Luna existía antes de que los dinosaurios vivieran en la Tierra. Siempre ha estado allá.

¡LOS CABALLEROS ANDANTES MIRABAN HACIA ARRIBA Y VEÍAN LA LUNA HACE 600 AÑOS!
¡YO MIRO HACIA ARRIBA Y VEO LA MISMA LUNA HOY EN DÍA!

¿POR QUÉ BRILLA LA LUNA?

Lo que más brilla en el cielo es el Sol.
Se compone de gases que se queman
y emiten calor y luz.

La Luna no tiene su propia luz.
Brilla porque refleja la luz
del Sol.

¡LA LUZ DE LA LUNA ES UN REFLEJO DE LA LUZ DEL SOL!

La luz del Sol se refleja en la Luna. La luz de la Luna es un reflejo de la luz del Sol.

¿QUÉ ES LO QUE GIRA?

La Luna gira alrededor de
la Tierra constantemente.
Nunca se queda en un sólo lugar.

El viaje de la Luna
alrededor de la Tierra
se llama una órbita.

La Luna gira alrededor de la Tierra así.

¡LA LUNA TARDA APRÓXIMADAMENTE
27 DÍAS PARA GIRAR ALREDEDOR
DE LA TIERRA!

¿POR QUÉ CAMBIA DE FORMA LA LUNA?

Podemos ver la Luna cuando refleja la luz del Sol.

A veces solamente parte de la Luna refleja el Sol y por lo tanto vemos solamente aquella parte.

Por eso la Luna parece tener una forma diferente cada noche.

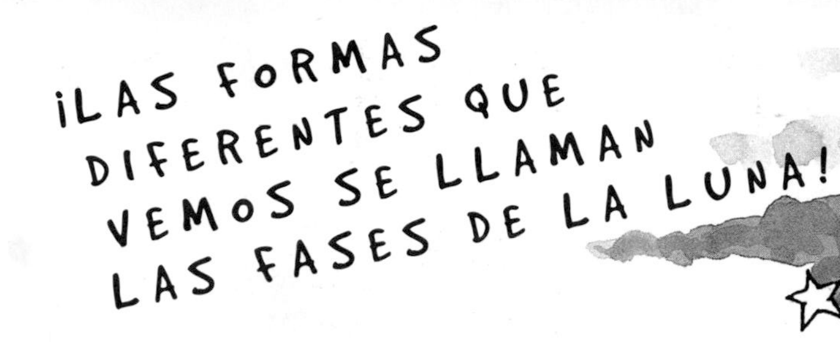

MIRA LA LUNA.
¿QUÉ VES?

Cuando el Sol se refleja en una parte pequeña de la Luna,

así nos parece la Luna.

El Sol se refleja en diferentes partes de la Luna mientras que la Luna gira alrededor de la Tierra. Solamente vemos la parte de la Luna que refleja la luz del Sol. Las otras partes de la Luna están en la oscuridad, y no podemos verlas. La forma de la Luna cambia cada noche porque otra parte refleja la luz del Sol cada noche.

¿A DÓNDE VA LA LUNA?

La Luna no desaparece
por la mañana.

A veces podemos verla
de día pero es fácil
verla de noche cuando
está oscuro el cielo.

Hay noches cuando la
Luna brilla mucho.
Otras noches se esconde
detrás de las nubes.

Hay noches cuando
no podemos ver la
Luna de ninguna
manera.
Se ha movido al otro
lado de la Tierra.

¿ESTÁ HECHA DE QUESO LA LUNA?

La Luna se compone de roca y polvo.

Las rocas lunares son grises y durísimas. Son casi iguales a la roca de la cual se componen los volcanes de la Tierra.

¡ALGUNOS PEDACITOS DE LAS ROCAS LUNARES BRILLAN!

HAZ UNAS ROCAS LUNARES

Necesitarás:

- $1\frac{2}{3}$ tazas de harina
- $\frac{3}{4}$ de una taza de mantequilla
- $\frac{3}{4}$ de una taza de azúcar
- $4\frac{1}{2}$ onzas de coco
- Un huevo
- Un poquito de leche para mezclar.

1. Mezcla la mantequilla con la harina.
2. Agrega el azúcar y el coco.
3. Agrega un huevo batido y la leche.
4. Engrasa una bandeja para hornear, haz unos "montoncitos rococos" y ponlos en la bandeja.
5. Pídele a un adulto que te ayude a meter la bandeja al horno para hornear por 15-20 minutos a una temperatura de 450°F.

¿CÓMO ES LA SUPERFICIE DE LA LUNA?

Algunos cráteres son tan grandes que miden 189 millas de anchos y 2.5 millas de profundidad.

Hay montañas en la Luna, pero no hay ni ríos ni mares.

La superficie desnuda y rocosa está cubierta de huecos profundos que se llaman cráteres.

La mayoría de los cráteres de la Luna se hicieron cuando enormes rocas o piedras vinieron cayendo por el espacio y se estrellaron contra la Luna.

¡UN CRÁTER QUE SE ESTRELLA!

Derrama un montoncito de harina en una bandeja. Alza lo más posible una pelota y déjala caer a la bandeja. Levanta cuidadosamente la pelota. ¡Has hecho un cráter! (Haz este experimento afuera. ¡Podrías ensuciar todo!)

¿ESTÁ CALIENTE O FRÍA LA LUNA?

¡HACE DEMASIADO CALOR AQUÍ PARA MÍ!

La Luna se calienta mucho durante el día. El calor del Sol hace que la Luna esté más caliente que el agua hirviente.

La Luna se enfría mucho de noche. Sin la luz del Sol, la Luna se pone más fría que la nieve.

Los astronautas tienen que llevar trajes espaciales en la Luna. De otra manera, se quemarían con el calor del Sol o se congelarían en las sombras frías.

¿QUIÉN VIVE EN LA LUNA?

Cada persona, animal y planta necesita aire y agua para vivir.

No hay ni aire ni agua en la Luna y por lo tanto nada crece allá.
Nadie vive allá.

UN JARDÍN DE LA LUNA

Cubre una planta en una maceta con una bolsa de plástico. Utiliza una liga elástica para ajustar bien la bolsa para que no entre el aire. No riegues agua en la planta. ¿Qué crees que pasará?

Sin aire ni agua, la planta rápidamente se marchita y se muere.

¿HA VIAJADO ALGUIÉN A LA LUNA?

En 1969, dos astronautas de América alunizaron. Eran las primeras personas que viajaron allá. Trajeron muchos pedazos de rocas lunares a la Tierra.

No hay aire en la Luna. Los astronautas tienen que llevar aire consigo para poder respirar en la Luna.

¡LAS PRIMERAS PERSONAS QUE CAMINARON EN LA LUNA LO HICIERON EL 20 DE JULIO DE 1969!

Los astronautas Neil Armstrong y Buzz Aldrin llegaron a la Luna y alunizaron antes que nadie. Todavía están allá sus huellas. En la Luna no hay ni viento ni lluvia para borrar las huellas. Estarán allá para siempre.

GLOSARIO

astronauta Una persona que viaja en el espacio.

cráter Un hueco en forma de cuenca que se hace cuando un objeto se estrella contra otro.

dinosaurios Los réptiles que vivieron en la Tierra hace 6.5 millones de años.

espacio El espacio empieza a una distancia de acerca de 93 millas de la superficie de la Tierra. Está lleno de planetas y estrellas.

fases Las formas diferentes de la Luna.

la Luna Una pelota enorme hecha de rocas que gira alrededor de la Tierra.

luz de la Luna La luz que se refleja del Sol.

la Tierra El planeta donde vivimos.

marchitarse Una planta decae y se marchita cuando no tiene agua suficiente o cuando está muriéndose.

órbita La trayectoria de un objeto que gira alrededor de un planeta o una estrella.

el Sol Una pelota gigante de gases que se queman y emiten luz y calor.

traje espacial Un traje especial que llevan los astronautas que les protege cuando viajan por el espacio.

ÍNDICE